Le gâteau de Scooby

Frances Ann Ladd

Illustrations de Duendes del Sur

Texte français de France Gladu

Éditions
SCHOLASTIC

Sammy a faim.

— Hé! dit-il. L'heure de la collation est passée depuis longtemps!

— Viens ici, Scooby! Nous
allons faire un gâteau.
Il nous faut de la farine,
du sucre, du beurre et
des œufs.

— Regarde dans le réfrigérateur. Avons-nous des œufs? Il nous faut cinq œufs.

— Est-ce qu'il y a du lait?
Il nous faut du lait. Tiens,
voici du beurre. Il nous
en faut encore un peu.
Je crois que c'est tout.

— Prends le sucre et verse-le ici.

Scooby ajoute aussi des Scooby Snax.

Puis il met le gâteau au four.

Le gâteau est enfin cuit.

Les deux amis le laissent refroidir.

— Goûte le premier, Scooby.

Scooby prend une bouchée.

— C'est bon?

— À mon tour, maintenant, dit Sammy. Sapristi! C'est bizarre, on dirait des Scooby Snax! Mais les Scooby Snax ne sont pas pour les humains!

Sammy prend une autre bouchée.

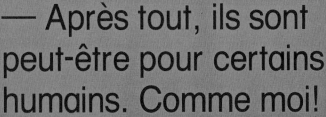

— Après tout, ils sont peut-être pour certains humains. Comme moi!